ALIMENTOS

Ciranda Cultural

ALIMENTOS

1. Por que os biscoitos de água e sal não são feitos só de água e sal?

2. O que é uma casinha branca sem porta e janela, e dona Clara mora nela?

3. O que é que salta, dá um espirro e vira pelo avesso?

4. O que é que todos dizem que é verde, mas na verdade é amarelo?

5. O que é redondo, gosta de festa e anda em bando?

6. **O que é que depois de ficar muito tempo na geladeira continua queimando?**

RESPOSTAS: 1. Porque o mar seria um enorme biscoito. 2. O ovo. 3. O milho de pipoca. 4. Milho verde. 5. O brigadeiro. 6. A pimenta.

ALIMENTOS

7. O que é que cresce antes de nascer, e ao nascer, para de crescer?

8. O que é, o que é? Verde por fora, vermelho por dentro e com sementes pretas?

9. O que é que tem tronco, tem dente, tem barba e tem pé, mas gente não é?

10. O que é que tem barba ao nascer e vira pipoca ao morrer?

11. O que é que você nunca pode comer no lanche?

12. O que é que se parte depois do casamento?

13. Qual o tipo de queijo que mais sofre?

RESPOSTAS: 7. O ovo. 8. A melancia. 9. Pé de milho. 10. O milho. 11. O almoço e o jantar. 12. O bolo dos noivos 13. O queijo ralado.

ALIMENTOS

14. O que é, o que é? Tem cabeça, mas não pensa; tem dentes, mas não morde?

15. O que é, o que é? A bebida é o rei da festa?

16. O que acontece quando um caminhão que ia pela rua carregado de Yakult bate em uma pedra?

17. O que é, o que é? Dourado por fora, branco por dentro, se você me jogar no chão, eu quebro?

18. O que é, o que é? Tipo de alimento que os políticos mais gostam?

19. **O que é, o que é? Prato favorito dos gulosos?**

20. O que é, o que é? Qual a comida que liga e desliga?

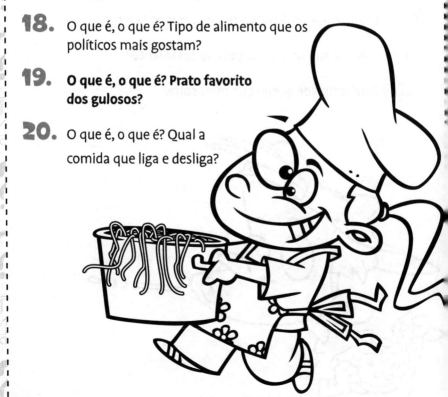

RESPOSTAS: 14. O alho. 15. O rei-frigerante. 16. Não sobra nenhum lactobacilo vivo. 17. O ovo. 18. As massas. 19. O prato cheio. 20. É o Strogon-off.

ALIMENTOS

21. O que é que tem lombo de porco, orelha de porco, costela de porco, e, mesmo assim, não é porco?

22. O que é, o que é? Tem galho de bronze, folhas de esmeralda, fruto de ouro e flores de prata?

23. O que é que cresce como vento, tem filhos como cento e, quando se tira um, lágrimas de leite chora?

24. O que é, o que é? A fruta que tem semente fora da casca?

25. Por que a manga cai da mangueira?

26. **O que é que é preciso matar para viver?**

27. Quem é o rei da horta?

RESPOSTAS: 21. A feijoada. 22. A laranja. 23. O mamoeiro. 24. O caju. 25. Porque ela não sabe descer pelo galho. 26. A fome. 27. O rei-polho.

ALiMENTOS

28. O que permanece quente mesmo sob a mais fria temperatura?

29. O que é, o que é? O único prato que o cozinheiro não consegue fazer direito?

30. O que é, o que é? O prato favorito de Platão?

31. O que é que todos sabem abrir, mas ninguém sabe fechar?

32. O que é, o que é? O alimento que é sempre educado?

33. Qual super-herói tinha uma sobremesa?

34. O que é, o que é? Qual pé a gente come?

RESPOSTAS: 28. A pimenta. 29. A torta. 30. O arroz à grega. 31. O ovo. 32. O biscoito fino. 33. Thor-tinha. 34. Pé de moleque.

ALIMENTOS

35. O que é que fica no meio do mato com guarda-chuva aberto?

36. O que é, o que é? Legume de cuja parte externa você se desfaz; cozinha a parte interna, come a parte externa e se desfaz da parte interna?

37. **O que é que cresce de cabeça para baixo e pés para cima?**

38. O que acontece quando um bolo fica ao sol?

39. O que é que com calor cai transtornado?

40. Qual o vinho que não tem álcool?

RESPOSTAS: 35. O cogumelo. 36. O milho verde em espigas. 37. A cebola. 38. Ele fica solado. 39. A pipoca. 40. Ovinho de codorna.

ALIMENTOS

41. O que é, o que é? O país que é o prato do mar?

42. Quando é que a Lua se torna doce?

43. O que é que morre sozinho e quando volta, traz uma fila de irmãos?

44. O que é que quanto mais se cozinha, mais firme fica?

45. O que é que percorre os campos durante o dia e dorme na geladeira?

46. O que desaparece no calor e endurece no frio?

47. O que é, o que é? O lamento que é doce?

RESPOSTAS: 41. Camarões. 42. Quando é lua de mel. 43. O milho. 44. O ovo. 45. O leite. 46. A manteiga. 47. O suspiro.

ALIMENTOS

48. O que é, o que é? A fruta que acaba primeiro que as demais?

49. Quando o suco se transforma em cobra?

50. Por que o pastel jamais morreria asfixiado?

51. O que é que quanto mais quente, mais fresco é?

52. O que é que a gente mata e isso nos deixa contente?

53. Quando é que a carne do boi vira ave?

54. Qual o lado mais velho de uma maçã?

RESPOSTAS: 48. A jabuti-acaba. 49. Quando alguém lhe faz cócegas, o suco-ri (sucuri). 50. Porque está sempre cheio de ar. 51. O pão. 52. A fome. 53. Quando é patinho. 54. O lado de fora.

ALIMENTOS

55. O que é, o que é? Tem coroa e não é rei, tem escamas e não é peixe?

56. O que é que tem cor de terra, mas não é terra; tem pavio, mas não é vela?

57. O que é que os mortos comem e se os vivos comerem acabam morrendo?

58. O que é que se parece com a metade de um queijo?

59. Quando é que um limão se torna em nada?

60. O que é, o que é? O alimento que é feito de flores?

61. Quem é a amiga da horta?

RESPOSTAS: 55. O abacaxi. 56. A mandioca. 57. Nada. 58. A outra metade. 59. Quando se faz limo-nada. 60. O mel. 61. A "Beth e Raba".

ALIMENTOS

62. O que é, o que é? Um pontinho verde no canto da sala?

63. O que são biscoitos que caem do céu?

64. Por que o caminhão do frigorífico não sobe ladeira?

65. Por que não se pode colocar um quibe no freezer?

66. O que é, o que é? A bebida que os animais não tomam?

67. Como se faz omelete de chocolate?

68. O que é, o que é? A fruta que pertence à nobreza?

RESPOSTAS: 62. Uma ervilha de castigo. 63. Mete-oreos (meteoros). 64. Porque e-flinguiça (ele engiuça). 65. Porque senão esfriia. 66. Mate-leão. 67. Com ovos de Páscoa. 68. A fruta-do-conde

ALIMENTOS

69. Por que dois litros de leite atravessaram a rua e foram atropelados, mas apenas um deles sobreviveu?

70. O que é, o que é? O rei dos laticínios?

71. O que é, o que é? O alimento que tem a primeira letra do alfabeto no início e a última no final?

72. Por que não se pode colocar uma esfirra dentro de um copo?

73. O que é, o que é? O chá que vai na cabeça?

74. O que é, o que é? A banda que tem na horta?

RESPOSTAS: 69. Porque ele era leite longa vida. 70. O rei-queijão. 71. O arroz. 72. Porque não quibe (cabe). 73. o chá-péu. 74. Beatles-raba.

ALIMENTOS

75. Por que é que a gente não deve chorar quando uma vaca leva um tombo?

76. O que é, o que é? Tem coroa, mas não é rei, espeta, mas não é porco-espinho?

77. O que é o que é? Pula, pula, depois se veste de noiva?

78. Quais os dois refrigerantes que sempre andam juntos?

79. Por que o xerife "leite" prendeu o "café capuccino"?

80. O que é, o que é? A fruta mais covarde quando chove?

RESPOSTAS: 75. Porque não se deve chorar o leite derramado. 76. O abacaxi. 77. A pipoca. 78. A Fanta e a Coca-Cola, pois quando a Fanta quebra, a Coca cola. 79. Porque o "creme" não compensa. 80. A jabuticaba. Porque dá no pé.

ALIMENTOS

81. O que é que antes de ser já era?

82. O que é, o que é? O melhor cachorro que existe?

83. Quais os doces que os namorados mais gostam?

84. O que é que só se pode usar depois de quebrado?

85. O que é, o que é? O alimento que mora na caixa de ferramentas?

86. O que é, o que é? A bebida mais romântica?

87. O que é, o que é? A fruta que é parente da porta?

RESPOSTAS: 81. A pescada, porque se chama assim mesmo antes de ser retirada da água. 82. O cachorro-quente: ele nunca morde a gente. 83. Suspiros e beijinhos. 84. O ovo. 85. O macarrão parafuso. 86. O milk-Shakespeare. 87. A maçã-neta (maçaneta)

ALIMENTOS

88. O que é, o que é? A fruta que tem um filho?

89. O que é, o que é? O doce mais encrenqueiro que existe?

90. O que é que a gente faz com um monstro verde?

91. Por que as cebolas nunca são convidadas para festas?

92. Como é que você pode comer um ovo sem quebrar a casca?

93. O que é, o que é? O doce que as pessoas direitas não gostam?

94. O que é, o que é? O pai da feira?

RESPOSTAS: 88. O mamão papai-a. 89. Brigadeiro. 90. Deixa amadurecer. 91. porque fazem todo mundo chorar. 92. Peça para alguém quebrar para você. 93. A torta. 94. O pai-stel.

ALIMENTOS

95. O que é, o que é? Um pontinho marrom na feira?

96. O que é que se quebra com um ovo, mas não se quebra com uma pedra?

97. O que é, o que é? Dois pedaços de queijo, dois pedaços de pão e um macaco?

98. **O que é, o que é? A fruta que no começo é ruim e no final é boa?**

99. O que é que quanto mais alto é melhor e mais fácil de pegar?

100. O que é, o que é? O sorvete de que os Vingadores não gostam?

RESPOSTAS: 95. Um brown-colis (brócolis). 96. O jejum. 97. Um x-panzé. 98. Maçã (má-sã). 99. O pé de feijão. 100. Napoli-Thanos (napolitano).